小鳄鱼大嘴巴系列

妈妈的节日

朱惠芳/文　　王祖民/图

5月

春天的五月，有一个属于天下所有妈妈的节日，当然也是鳄鱼妈妈的节日。

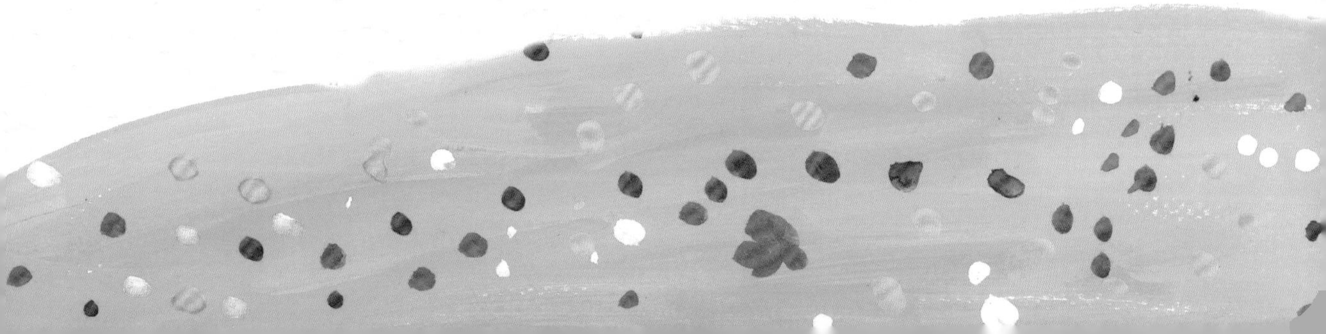

小动物们正在讨论给妈妈送什么礼物。

我送给妈妈的花，一定比你的好看。
哼，走着瞧！

为了能给妈妈买到漂亮的花，小鳄鱼这几天忙极了。

给熊大伯搬蜂窝，手上还被蜇了几个包。

给兔婶婶收胡萝卜，累得背疼腰也酸。

给白鹅姐姐捞水草，在水里游了一趟又一趟。

终于，妈妈的节日到了。小鳄鱼兴冲冲地来到花店，挑了一束最大、最红的康乃馨。

小鳄鱼往口袋里掏钱，这才发现，自己这几天挣的钱丢了……

漂亮的花买不成了，怎么办？

只要把长尾巴一伸，就能摘下一朵来。

小鳄鱼看见了猫姐姐院子里的红玫瑰。

小鳄鱼在院子外面徘徊了很久，还是没有把长尾巴伸进去。

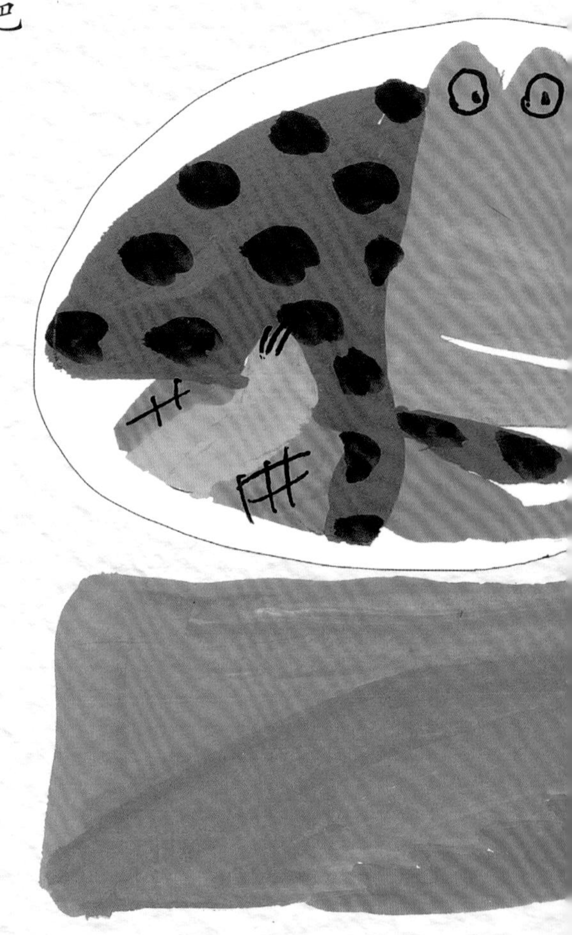

要是妈妈知道花儿是
我偷摘的，一定不喜欢。

小鳄鱼在池塘边发现了一丛小野花。

小鳄鱼正要去摘，花丛里突然跳出了一只小青蛙。

小鳄鱼只好垂头丧气地回家去，路上遇到了小狐狸，他手里捧着一束漂亮的康乃馨。

小鳄鱼忍住眼泪。

回到家，小鳄鱼看见了窗台上的一盆萝卜花，这是他有一次无意中种下的。

妈妈回来了，小鳄鱼低着头，
慢慢地捧出了那盆萝卜花。

谢谢你，我的宝贝！
多可爱的萝卜花呀！

呀！妈妈给了小鳄鱼
一个大大的拥抱。

哈哈！原来妈妈也喜欢萝卜花呀！小鳄鱼终于开心地笑了。

游戏开心乐

找一找

为了给妈妈准备礼物，小鳄鱼要给熊大伯找到 3 个玉米，帮兔婶婶找到 4 个胡萝卜，帮白鹅姐姐找到 5 棵绿草。你能帮着小鳄鱼找出来吗？请你用笔圈出来。

送给妈妈的鲜花

小鳄鱼和朋友们都给妈妈准备了鲜花。小朋友，请你帮帮他们，数一数他们分别准备了几朵花，把鲜花插到相应的花瓶中。

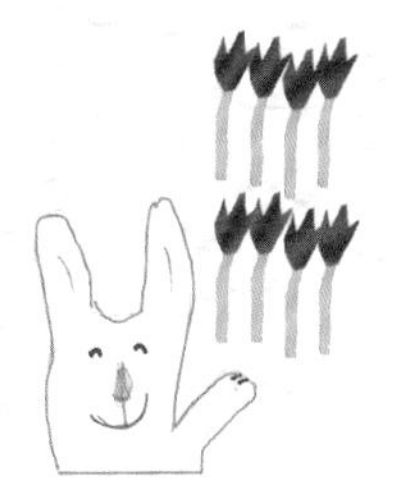

朱惠芳

幼儿教师，江苏省作家协会会员。工作之余创作童话，在国内幼儿杂志上发表400多篇童话，近年来出版绘本系列《我来保护你》《生命的故事》等。

王祖民

苏州桃花坞人。大学毕业后一直从事童书出版和儿童绘画工作。近几年致力于儿童绘本的创作，喜欢探索各种绘画方式，以期呈现给儿童丰富多彩的画面。“我很庆幸毕生能为天真无邪的孩子们画画，很享受画画的愉悦。”

图书在版编目（CIP）数据
妈妈的节日 / 朱惠芳文；王祖民图.
—上海：上海教育出版社，2018.4
（看图说话绘本馆.小鳄鱼大嘴巴系列）
ISBN 978-7-5444-8285-1

Ⅰ.①妈… Ⅱ.①朱… ②王… Ⅲ.①儿童故事-图画故事-中国-当代 Ⅳ.① I287.8

中国版本图书馆 CIP 数据核字 (2018) 第 069360 号

看图说话绘本馆·小鳄鱼大嘴巴系列

妈妈的节日

作　　者　朱惠芳/文　王祖民/图
责任编辑　管　倚
美术编辑　王　慧　林炜杰
封面书法　冯念康

出版发行　上海教育出版社有限公司
官　　网　www.seph.com.cn
地　　址　上海市永福路 123 号
邮　　编　200031
印　　刷　上海昌鑫龙印务有限公司

开　　本　787×1092 1/24　印张 1
版　　次　2018 年 4 月第 1 版
印　　次　2018 年 4 月第 1 次印刷
书　　号　ISBN 978-7-5444-8285-1/I・0106
定　　价　15.00 元

如发现质量问题，请向本社调换　电话 021-64377165